El libro del embarazo

Un diario de nueve meses para ti y tu barriga en crecimiento

Amy Krouse Rosenthal

Editorial OB STARE

El libro del embarazo
Amy Krouse Rosenthal

1.ª edición: marzo de 2023

Título original: *The Belly Book.*
A nine-month journal for you and your growing belly

Traducción: *David George*
Corrección: *M.ª Jesús Rodríguez*
Diseño de interior y maquetación: *Jan Derevjanik* e *Isabel Estrada*

Edita: OB STARE, S.L.U.
www.obstare.com | obstare@obstare.com

ISBN: 978-84-18956-17-1
Depósito Legal: TF-793-2022

Printed in China

Introducción

¿Qué es exactamente este libro de la barriga de la mujer embarazada?

Es una especie de libro para el bebé que está por llegar, dedicado al cien por cien a las madres gestantes y todas las cosas que tienen que ver con su vientre.

Es en parte un diario, en parte un álbum y en parte un recuerdo: todo ello antes del parto.

Encontrarás lugares en los que documentar tus antojos, tus corazonadas y la primera patada de tu bebé. Hay páginas para que guardes las imágenes de tus ecografías. Y en medio de todo ello, cuarenta espacios para guardar una secuencia temporal de tu vientre en crecimiento.

Ciertamente, la idea consiste en rellenar este libro a medida que tu barriga va creciendo, pero no te sientas obligada a responder cada pregunta y a completar cada una de las páginas. Incluso aunque lo rellenes esporádicamente, *El libro del embarazo* será un tesoro para ti (y para tu hijo) que podrás recordar con los años.

—Amy Krouse Rosenthal

Este embarazo es presentado por:

Nombre:______________________________

Edad:______________________________

Éste es mi______________**embarazo.**

PRIMER TRIMESTRE

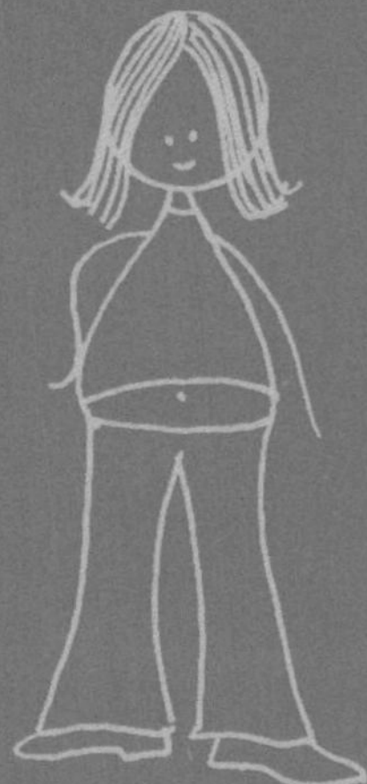

¡Felicidades!

¡El test es positivo!

Dónde y cuándo me hice el test de embarazo: ______

Primera reacción cuando me di cuenta de que era positivo: ______

Cómo se le dije a mi pareja: ______

Reacción: ______

A quién se lo dijimos de inmediato y sus reacciones: ____________

¿Es éste nuestro primer bebé? ____ Sí ____ No

Cómo reaccionó/reaccionaron nuestro(s) hijos(s): ____________

Cuándo tengo pensado decírselo a mis amigos/compañeros de trabajo: ____________

La primera visita prenatal

{fecha}

Mi obstretra/ginecólogo es: ______________________________

____

____

La fecha prevista del parto es: ______________________________

Mi peso actual: ______________________________

El contorno actual de mi vientre es: ______________________________

Estoy pensando en tener al bebé:

___ En el hospital ___ En casa

___ Con una comadrona ___ Otros

Éstas son las razones: ______________________________

____

____

____

Otras notas tras esta primera consulta: ______________________________

____

____

____

____

Cariño, ¿puedes venir a sujetarme el cabello?

Todos los detalles divertidos y grotescos sobre mis náuseas matinales (o a mediodía o nocturnas): ______________________________

____

____

____

Momentos del día en los que peor me siento: ______________________________

____

____

____

____

Mi estómago se revuelve con el simple olor de: ______________________________

____

____

____

____

Los alimentos que generalmente me calman el estómago: ______________________________

____

____

____

____

Antojos y aversiones

La tabla de mi primer trimestre

He tenido verdaderos antojos de:

mes 1

mes 2

mes 3

La simple idea de comer estas cosas me resulta totalmente repulsiva:

mes 1

mes 2

mes 3

Mi filosofía actual en lo tocante a los antojos:

____ Pongo la mente por delante del problema.

____ Le doy a mi estómago lo que quiere.

El antojo más raro que he tenido hasta el momento es: ____________________

____

____

ultra genial

La primera imagen de ti: ecografías*

Pega las fotos aquí

Fecha de la primera ecografía: ______________________

Semana de gestación: ______________________

Notas: ______________________

____

* Nota: Las imágenes en el papel de las ecografías tienden a desdibujarse con el tiempo, por lo que puede que quieras hacer fotocopias del original para pegarlas en esta página.

Pega las fotos aquí

Fecha de la ecografía: ____________________

Semana de gestación: ____________________

Notas: ____________________

Barriga, semana 1

Pega una foto aquí

Fecha: ______________________________

Fecha/ocasión posible de la concepción: ______________________________

____

____

____

____

Supe que estaba embarazada en este momento:

___ Sí, totalmente. ___ No, no tenía ni idea. ___ Tenía mis sospechas.

Barriga, semana 2

Pega una foto aquí

Fecha: ______________________________

Mis primeros síntomas del embarazo (si es que los hubo): ______________

____

____

____

____

____

____

____

Barriga, semana 3

Pega una foto aquí

Fecha: ______________________________

Notas: ______________________________

Barriga, semana 4

Pega una foto aquí

Fecha: ____

Mi estado de ánimo actual:

_____ Sol y felicidad

_____ Parcialmente soleado, con posibilidad de chubascos

_____ Huracán hormonal

Otras notas: ____________________________________

____

____

____

Barriga, semana 5

Pega una foto aquí

Fecha: ____________________

Notas: ____________________

Barriga, semana 6

Pega una foto aquí

Fecha: ______________________________

Mi nivel de energía ha sido:

___ Relativamente normal ___ Un poco indolente ___ No puedo con mi alma

Otras notas: ______________________________

Barriga, semana 7

Pega una foto aquí

Fecha: ______________________________

Notas: ______________________________

Barriga, semana 8

Pega una foto aquí

Fecha: ____

Esta semana mi aspecto es:

____ Esplendoroso ____ Estoy pálida

Otros cambios recientes bienvenidos o no tan bienvenidos: ________________

____

____

____

____

Barriga, semana 9

Pega una foto aquí

Fecha: ____________________

Notas: ____________________

Barriga, semana 10

Pega una foto aquí

Fecha: ____

Mis pantalones:

____ Me van bien ____ Me van ajustados ____ Dame unos con banda elástica

Otros cambios notables esta semana: ______________________________

____

____

____

____

____

Barriga, semana 11

Pega una foto aquí

Fecha: ______________________________

Instantánea de mi vida

Música que he (hemos) estado escuchando últimamente: ______________________________

____

Película reciente que he visto: ______________________________

____

Libro que estoy leyendo ahora: ______________________________

____

Noticias más importantes en este momento: ______________________________

____

____

Barriga, semana 12

Pega una foto aquí

Fecha: ______________________

Esta semana marca el final de mi primer trimestre

Reflexiones: ______________________

____

____

____

____

____

Ahora se lo podemos contar a toda la gente: ______________________

____

Las estadísticas

Las visitas prenatales del primer trimestre

Fecha de la cita: ______________________________

Peso ganado hasta la fecha: ______________________________

Medición del contorno de mi vientre: ______________________________

Talla estimada: ______________________________

Preguntas/notas: ______________________________

Fecha de la cita: ______________________________

Peso ganado hasta la fecha: ______________________________

Medición del contorno de mi vientre: ______________________________

Talla estimada: ______________________________

Preguntas/notas: ______________________________

visitas prenatales (continuación)

Fecha de la cita: ____________________

Peso ganado hasta la fecha: ____________________

Medición del contorno de mi vientre: ____________________

Talla estimada: ____________________

Preguntas/notas: ____________________

Una mirada a tu ombligo

Algunas últimas reflexiones sobre el primer trimestre

SEGUNDO TRIMESTRE

Amo ♥ a mi bebé

Hoy es ____

Es un día que nunca olvidaré porque oímos el latido de tu corazón por primera vez.

Sonaba a algo parecido a:

___ Caballos al galope ___ Ritmo de música tecno ___ Un milagro

Otras reflexiones: ____

Hasta la vista, vaqueros

Hasta la vista, cualquier parecido a una cintura

Cuándo, más o menos, me hinché: ______________________________

____

____

¿Me sobresalió el ombligo? ¿Cuándo?: ______________________________

____

____

Estoy empezando a sentirme como:

_____ Una diosa de la fertilidad _____ Un globo

Más reflexiones sobre estar engordando: ______________________________

____

____

____

____

Mi régimen de ejercicio: ______________________________

____

____

____

____

Algunos apuntes sobre la ropa

Cuándo me puse mi primer atuendo de premamá: ______________________________

____

____

____

____

Mi atuendo favorito de premamá es: ______________________________________

____

____

____

____

Tomé prestada ropa de premamá de: ______________________________________

____

____

____

____

Récord del número de días seguidos que llevé puestos los mismos horribles pantalones elásticos: ____

____

____

¿Niño o niña?

Saber o no saber . . .

La gente dice que llevo, en el vientre, un bebé:

___ Alto ___ Bajo

Todos piensan que eres:

___ Niña ___ Niño ___ Gemelos

Personalmente, pienso que eres:

___ Niña ___ Niño ___ Un boxeador

Mis pensamientos sobre averiguar si eres niña o niño antes de que nazcas: ______________

____

____

____

____

____

____

Mi pareja

___ Coincide conmigo ___ Discrepa de mí

Así es como llegaremos a un acuerdo: ______________________________

____

____

____

____

____

Ya me **encantas** y me has dado patadas en el vientre

Semana en la que empecé a sentir que te agitabas en mi barriga: ________________

Una descripción de esta nueva sensación: ________________

La primera vez que te sentí tener hipo en mi vientre: ________________

Semana en la que empezaste a dar patadas claramente más fuertes: ______

Momentos del día en los que te mueves más: ______

Me he dado cuenta de que las siguientes cosas parecen desencadenar que des patadas y te muevas: ______

Segundo trimestre

Ecografía

Pega las fotos aquí

Fecha de la ecografía: ______________________________

Semana de gestación: ______________________________

Eres considerablemente más fotogénico en esta etapa. Pude percibir, claramente, las siguientes características: ______________________________

____

____

____

____

La GRAN pregunta: Eres

___ Niña ___ Niño ___ ¡Permanece atento!

Antojos y aversiones

La tabla de mi segundo trimestre

He tenido verdaderos antojos de:

mes 4

mes 5

mes 6

La simple idea de comer estas cosas me resulta totalmente repulsiva:

mes 4

mes 5

mes 6

Mi filosofía actual en lo tocante a los antojos:

____ Pongo la mente por delante del problema.

____ Le doy a mi estómago lo que quiere.

El antojo más raro que he tenido este trimestre es: ______________________________

____

____

Barriga, semana 13

Pega una foto aquí

Fecha: ____________________

Mis cambios de humor están/son:

____ Disminuyendo, gracias a Dios.

____ Totalmente justificados teniendo en cuenta lo mucho que me duele la espalda.

____ Inexistentes: la gestación me ha convertido en un Buda (en tamaño y espíritu).

Otras notas: ____________________

Barriga, semana 14

Pega una foto aquí

Fecha: ______________________

Notas: ______________________

Barriga, semana 15

Pega una foto aquí

Fecha: ______________________________

Ahora que las hormonas han entrado verdaderamente en acción, mi cabello/vello está:

____ Lustroso y abundante ____ Creciendo en algunos lugares bastante raros

Más cambios recientes bienvenidos y no tan bienvenidos: ______________________

Barriga, semana 16

Pega una foto aquí

Fecha: ______________________________

Notas: ______________________________

Barriga, semana 17

Pega una foto aquí

Fecha: ____________________

Mi apetito actual es:

____ Pequeño ____ Grande ____ Descomunal

Otras notas: ____________________

Barriga, semana 18

Pega una foto aquí

Fecha:

Notas:

Barriga, semana 19

Pega una foto aquí

Fecha: ____________________

La(s) cosa(s) que más echo de menos en mi vida antes de tener esta barriga:

____ Tomar vino con las comidas ____ Tener una vejiga de tamaño normal ____ Mis tobillos

Otras notas: ____________________

Barriga, semana 20

Pega una foto aquí

Fecha: ______

Notas: ______

Barriga, semana 21

Pega una foto aquí

Fecha: ______________________________

Me siento más cómoda durmiendo:

___ Boca arriba ___ De lado ___ ¿Estás de broma? No estoy cómoda de ninguna manera

Ahora me levanto a hacer pipí unas _____ veces cada noche.

Otras notas: ______________________________

Barriga, semana 22

Pega una foto aquí

Fecha: ______________________________

Notas: ______________________________

Barriga, semana 23

Pega una foto aquí

Fecha: ______________________________

Instantánea de mi vida

Música que he (hemos) estado escuchando últimamente: ______________________________

____

Película reciente que he visto: ______________________________

____

Libro que estoy leyendo ahora: ______________________________

____

Noticias más importantes en este momento: ______________________________

____

Barriga, semana 24

Pega una foto aquí

Fecha: ______________________

Esta semana marca el final de mi segundo trimestre

Reflexiones: ______________________

Las estadísticas

Las visitas prenatales del segundo trimestre

Fecha de la cita: ______________________________

Peso ganado hasta la fecha: ______________________________

Medición del contorno de mi vientre: ______________________________

Talla estimada: ______________________________

Preguntas/notas: ______________________________

visitas prenatales (continuación)

Fecha de la cita: ______________________________

Peso ganado hasta la fecha: ______________________________

Medición del contorno de mi vientre: ______________________________

Talla estimada: ______________________________

Preguntas/notas: ______________________________

Fecha de la cita: ______________________________

Peso ganado hasta la fecha: ______________________________

Medición del contorno de mi vientre: ______________________________

Talla estimada: ______________________________

Preguntas/notas: ______________________________

Una mirada a tu ombligo

Algunas últimas reflexiones sobre el segundo trimestre

TERCER TRIMESTRE

Clases de preparación para el parto

Tipo de curso de preparación para el parto: ______________________________

Nombre de la monitora: ______________________________

Número de clases a las que he asistido: ______________________________

Quién me acompañó: ______________________________

____ Sí, he estado haciendo mis ejercicios de Kegel.

____ Sí, sé que se supone que tengo que hacer mis ejercicios de Kegel.

Compañeras de clase con las que he entablado amistad: ______________________________

____

____

____

____

____

____

____

____

Mi gran y gorda gestación pública

La gente parece sentir el impulso de tocarte.

___ No te molesta   ___ Te molesta

La primera vez que un desconocido ha puesto su mano sobre mi vientre: ______________________________

____

____

____

____

____

____

____

____

La primera vez que alguien me cedió el asiento a mí y a mi enorme vientre en el autobús o el metro (o ha tenido algún otro gesto considerado conmigo): ____

____

____

____

____

____

____

____

Bebito, campeón y gordito

Apodos inexplicables para tu vientre/bebé

Perdónanos, pero nos ha dado por llamarte:

____

____

____

____

____

____

____

Nombres reales
que estamos pensando para ti

Nombres de niño:

Nombres de niña:

Los pensamientos de otras personas sobre tu nombre potencial:

La *baby shower*

Pega una foto aquí

Tú y yo recibimos:

_____ de _____
_____ de _____
_____ de _____
_____ de _____
_____ de _____
_____ de _____
_____ de _____
_____ de _____
_____ de _____
_____ de _____
_____ de _____
_____ de _____

Algunos recuerdos de la *baby shower*

Antojos y aversiones

La tabla de mi tercer trimestre

He tenido verdaderos antojos de:

mes 7

mes 8

mes 9

La simple idea de comer estas cosas me resulta totalmente repulsiva:

mes 7

mes 8

mes 9

Mi filosofía en lo tocante a los antojos:

____ Pongo la mente por delante del problema.

____ Le doy a mi estómago lo que quiere.

El antojo más raro que he tenido este trimestre: ______________________________

____

____

Eres un bebé muy movidito

Momentos del día (y de la noche) en los que más te mueves: ___

___

___

___

Más cosas que parecen desencadenar que te muevas: ___

___

___

___

___

Realmente he reconocido las partes de tu cuerpo moviéndose y presionando contra mi vientre (¡qué genial!):

___

___

___

___

Cuando el término «contracciones de Braxton Hicks» entró en mi vocabulario: ___

___

___

___

___

Tercer trimestre

Ecografía

Pega las fotos aquí

Fecha de la ecografía: ______

Semana de gestación: ______

Notas: ______

Las estadísticas

Las visitas prenatales del tercer trimestre

Fecha de la cita: ______________________

Peso ganado hasta la fecha: ______________________

Medición del contorno de mi vientre: ______________________

Talla estimada: ______________________

Preguntas/notas: ______________________

Fecha de la cita: ____________________

Peso ganado hasta la fecha: ____________________

Medición del contorno de mi vientre: ____________________

Talla estimada: ____________________

Preguntas/notas: ____________________

Fecha de la cita: ______

Peso ganado hasta la fecha: ______

Medición del contorno de mi vientre: ______

Talla estimada: ______

Preguntas/notas: ______

Fecha de la cita: ______________________________

Peso ganado hasta la fecha: ______________________________

Medición del contorno de mi vientre: ______________________________

Talla estimada: ______________________________

Preguntas/notas: ______________________________

Fecha de la cita: ______________________________

Peso ganado hasta la fecha: ______________________________

Medición del contorno de mi vientre: ______________________________

Talla estimada: ______________________________

Preguntas/notas: ______________________________

Fecha de la cita: ____________________

Peso ganado hasta la fecha: ____________________

Medición del contorno de mi vientre: ____________________

Talla estimada: ____________________

Preguntas/notas: ____________________

Fecha de la cita: ______________________________

Peso ganado hasta la fecha: ______________________________

Medición del contorno de mi vientre: ______________________________

Talla estimada: ______________________________

Preguntas/notas: ______________________________

Barriga, semana 25

Pega una foto aquí

Fecha: ____________________

Siento el impulso de hablar de mi embarazo:

____ En cualquier momento, con cualquiera que tenga cerca.

____ Sólo con otras mujeres embarazadas o con madres primerizas.

____ No mucho.

Otras notas: ____________________

Barriga, semana 26

Pega una foto aquí

Fecha: ______________________

Notas: ______________________

Barriga, semana 27

Pega una foto aquí

Fecha: ____

En este preciso momento, mi pareja se está sintiendo un poco:

____ Superado ____ Sobreprotector ____ Excluido ____ Eufórico ____ Todas las anteriores

Otras notas: ____

Barriga, semana 28

Pega una foto aquí

Fecha: ____________________

Notas: ____________________

Barriga, semana 29

Pega una foto aquí

Fecha: ______________________________

Más cosas que echo de menos en mi vida antes de tener esta barriga:

____ Caminar sin parecer un pato ____ Mi regazo ____ Bragas normales

Otras notas: ______________________________

Barriga, semana 30

Pega una foto aquí

Fecha: ______________________________

Notas: ______________________________

Barriga, semana 31

Pega una foto aquí

Fecha: ____

Ahora me siento más cómoda durmiendo:

___ Boca arriba ___ De lado ___ Me colocaré como sea que pueda dormir

Ahora me levanto a hacer pipí unas _____ veces cada noche.

Otras notas: ____

____

____

____

____

Barriga, semana 32

Pega una foto aquí

Fecha: ____________________

Notas: ____________________

Barriga, semana 33

Pega una foto aquí

Fecha: ____

Notas: ____

____

____

¡Falta un mes para el parto! Esto es lo que voy a hacer para prepararme para tu llegada: __________

____

____

_____ Creo que estoy, oficialmente, construyendo el nido.

_____ ¿En qué consiste construir el nido?

Barriga, semana 34

Pega una foto aquí

Fecha: ______________________

Notas: ______________________

Barriga, semana 35

Pega una foto aquí

Fecha: ______________________________

La gente dice que mi vientre parece:

____ Como si estuviera de menos meses.

____ Tener el aspecto que debería tener.

____ Como si estuviera a punto de explotar.

Otras notas: ______________________________

____

____

____

____

Barriga, semana 36

Pega una foto aquí

Fecha: ______________________________

Notas: ______________________________

Barriga, semana 37

Pega una foto aquí

Fecha: ____________________

Instantánea de mi vida

Música que he (hemos) estado escuchando últimamente: ____________________

____

Película reciente que he visto: ____________________

____

Libro que estoy leyendo ahora: ____________________

____

Noticias más importantes en este momento: ____________________

____

____

Barriga, semana 38

Pega una foto aquí

Fecha: ____________________

Notas: ____________________

Barriga, semana 39

Pega una foto aquí

Fecha: ______________________________

Notas: ______________________________

Detalles de
tu salida de mi vientre

Mi parto empezó:

____ días antes de la fecha prevista.

____ días después de la fecha prevista. (¡Vaya! ¡Menuda gracia!).

____ en la fecha prevista.

____ ninguna de las anteriores (me lo indujeron/me hicieron una cesárea programada).

____

Dónde estaba cuando empezaron las contracciones y quién me ayudó a estar preparada:

____

____

____

____

____

____

____

____

Dónde estaba cuando rompí aguas: ________________________

____

____

____

____

____

Número total de horas durante las que estuve de parto: ______________________________

Las clases de la técnica de respiración Lamaze fueron de utilidad:

___ Totalmente

___ Qué gracioso eres

Así pues, éstas son las sensaciones de un parto: ______________________________

¡Entrega especial!

Naciste:

____ En un hospital ____ En casa

____ En un centro de maternidad ____ Otros: ______________________________

Epidural, parto natural o cesárea: ______________________________

Si tuviera que volver a hacerlo todo de nuevo, mi enfoque sería:

____

____

____

____

____

____

Quién asistió al parto: ______________________________

____

____

Quién cortó el cordón umbilical: ______________________________

Quién estuvo presente durante el parto: ______________________________

____

Enfermeras asistentes a las que no quiero olvidar: ______________________________

____

____

Cómo lo sobrellevó mi pareja en la sala de partos: ______________________________

____

____

____

Quién nos vino a ver: ____

____

____

____

____

Otras buenas historias y detalles interesantes sobre tu llegada al mundo: ________________

____

____

____

____

____

____

Qué sentí la primera vez que te vi: ____________________

Qué sentí al cogerte entre mis brazos por primera vez: ____________________

¡Feliz cumpleaños!

Pega una foto aquí

Tu nombre

Fecha y hora de tu nacimiento

Peso

Estatura

Las huellas de tus pies

Epílogo del vientre

____ Sigo pareciendo embarazada.

____ Sorprendentemente, mi barriga tiene prácticamente su tamaño normal.

____ Estoy muy contenta de que estés aquí, pero no me di cuenta de lo mucho que te echaría de menos dentro de mi vientre, tan cerca de mí.

Notas: ____

El final de
El libro del embarazo
El principio de ti

Pega una foto aquí